poef doet de pan

Bies van Ede
met tekeningen van Ineke Goes

zwijsen

Dit is de oma van Saar.
Oma helpt Saar in de keuken met koken.
Oma vindt koken leuk.
Saars oma kookt graag lekker eten.
Ze breit ook graag truien en poppen.

Saar wil een toverdrank brouwen.
Hoe moet je die maken?
Oma weet het eigenlijk niet.
Zou Saar het zelf wel weten?
Ze is al in de tuin geweest.
Daar heeft ze planten geplukt.
Rare planten en knollen met vreemde blaadjes.

wat kookt saar?

pak je een pan?
ik kan dat niet.
hij is te zwaar.
het vuur moet ook aan.
dat mag jij doen.

Is dat alles?
Moeten we niet nog meer doen?
Iets met een toverstaf en een spreuk?
Ik ben geen heks, dus ik weet het niet.

mam is een heks.
dan ben ik er dus ook een.
ik was al in de tuin.
kijk, dit nam ik mee.

6

Dat zijn gekke planten.
Je kunt er vast mee toveren.
Denk je dat het gaat werken?

 ik hoop het maar.

Goed, aan de slag.
De planten moeten op de snijplank.
Zeg maar wat ik moet doen.

 kan het niet al in de pan?

Nee, eerst alles fijnhakken en snijden.
Anders passen de kruiden niet in de pan.
Let goed op, dat mes is vreselijk scherp.

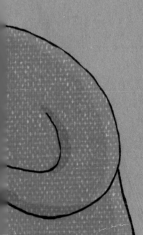

saar pakt het mes.
ze hakt en hakt.
het is leuk werk.
hak, doet het mes.

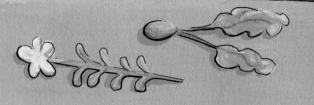

hup, doet saar.
in de pan er mee.
de pan raakt vol.
of kan er nog meer bij?
zout hoort er ook bij.
moet er nog meer in?

Oma zegt: 'Saar, er moet wat water bij.'
Ze steekt het gas aan.
Dan zet ze de pan erop.
Saar roert goed in de pan.
'Wat wordt het voor drank, Saar?' vraagt oma.
'Een groeidrank,' zegt Saar.
'Dan ben ik een echte heks, net als mama.'
'Weet je dat zeker?
Dat je moeder een heks is?' vraagt oma.
Saar haalt haar schouders op.
Ze hoopt gewoon dat haar moeder kan toveren.

Poef zegt de pan op het fornuis.
De toverdrank is nu wel klaar, denkt Saar.
Ze neemt een hapje met een lepel.
Oma proeft ook.
Zou er geen gevaar zijn?
Werkt het drankje?
Ja ... het werkt, maar vraag niet hoe ...

'haa haa,' zegt saar.
'je ziet er gek uit.
haa haa.
het is heel mal.
wat is je neus gek!
en je haar is raar!'
saar ligt in een deuk.
wat een lol.
maar ... zie je saar?
zij is zelf óók raar!

10

Oma lacht vrolijk met Saar mee.
Ze zien eruit als een trol.
Oma trol en Saar trol.
Wat moeten ze doen?
Weer een toverdrank maken?
Trol zijn is even leuk, maar niet te lang.
Saar legt uit wat oma moet doen.
Oma snijdt planten en knollen in stukken.
Ze kookt en ze roert en ze zeeft.

Poef doet de pan.
De toverdrank is klaar.
Oma neemt er een flinke lepel van.
Saar krijgt ook een grote hap.
En dan?
Wat gebeurt er dan?

Hoe kan dit nou, Saar?
Wat is er gebeurd?

 **ik weet het niet.
weet jij het?**

 Weet je waar jij op lijkt?

 ik weet het niet.

 Maar waar lijk ik op?

 je lijkt op een aap!

 En jij bent ook een aap, Saar!

ik wil geen aap zijn.

 Nee, jij wilt groot zijn.
Even groot als ik.
Dat had je al gezegd.

 dit is niet fijn.
mijn vel jeukt.

 Dan krab ik wel eventjes
in je vacht.

 ik wil weer saar zijn.

 Opnieuw iets koken dan.
Hoogste tijd voor een
beter drankje.

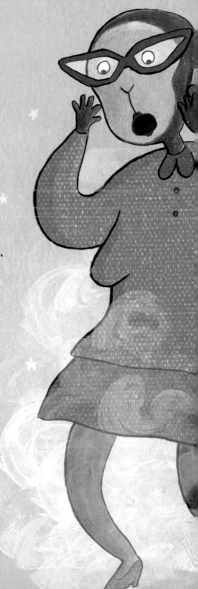

saar pakt een bak.
ze gaat naar de tuin.
saar plukt wat hier.
ze plukt wat daar.
wat raar om te zien.
een aap in de tuin.

de bak is vol.
daar gaat saar weer.
ze hakt en hakt.
ze kookt en ze zeeft.

Oma helpt Saar met het nieuwe drankje.
Aap zijn is voor even grappig.
Maar nu wil ze weer gewoon oma zijn.
De trui die ze breit, moet nog af.
En een aap die truien breit?
Wie heeft daar ooit van gehoord?

poef doet de pan.
poef!
wat een knal.
er is rook.
en nog een keer *poef*.
het ruikt raar.
maar kijk ...

De nieuwe toverdrank is klaar.
Saar en oma nemen een slok.
De drank smaakt nogal vies.
Maar dan werkt hij misschien
juist goed.
Een echte toverdrank hoort vies
te zijn.
Ze slikken hun slok vlug door.
En wat gebeurt er dan?

saar is weer saar.
ze is geen aap meer.
en oma is weer oma.
dat is fijn.
maar wat gaan ze doen?
gaan ze nog door?

ze gaan door

'Ik denk dat ik ermee stop,' zegt oma.
'Als je geen heks bent, gaat het snel fout.
Stel je voor dat het weer mislukt ...
Straks blijf ik voorgoed een dier.
Of ik word een beeld van steen.
Dat heb ik liever niet, begrijp je?'
Saar snapt dat natuurlijk wel.
Maar toch wil ze doorgaan.
'Ik vind het grappig,' zegt ze.
Oma twijfelt.
Ze denkt diep na en zucht.
'Vooruit dan maar,' zegt ze.
'Wat wil je nu worden, Saar?'
'Iets heel anders,' antwoordt Saar.

daar gaan ze weer.
saar giet de pan leeg.
in een bak.
ze wast de pan af.
ze plet een steel.
het sap gaat in de pan.
en er kan nog meer bij.
de pan zit vol.
hij kan weer op het vuur.
het gas mag aan.

'Zeg Saar, weet je wat?' vraagt oma.
'Bij een drankje hoort een toverspreuk.
Je weet wel, wat heksen ook doen.
Misschien werkt de toverdrank dan wel.
Het gaat steeds verkeerd.
Dat komt doordat we geen spreuk hebben.
Weet jij een goede?'
Saar denkt even diep na.
'Nee, eigenlijk niet,' zegt ze dan.
'Want ik ben ook geen heks.
Was mama maar hier om te helpen.'
'Weet je wat?' zegt oma.
'Verzin zelf maar een spreuk, Saar.'
En dat doet ze ...

pak de pan.
stook het vuur.
kook een uur.
roer en roer.
laat een boer.
geef een gil.
wees stil.
stop maar.
het is klaar.

poef doet de pan.
poef!

Oma vindt de spreuk heel knap bedacht.
Saar wordt later vast een goede heks.
Maar werkt de spreuk ook?
Oma weet het niet en Saar ook niet.
'Wie neemt als eerste een hap?' vraagt oma.
'Proef jij maar eerst,' zegt Saar.
Oma vindt dat duidelijk geen goed plan.
'Kinderen mogen eerst,' zegt ze.
Maar daar is Saar het niet mee eens.
'Laten we samen proeven,' zegt ze.
Dat vindt oma een goede oplossing.
Ze telt af: 'Drie, twee, één!'
Oma en Saar nemen een hap.
Werkt de toverdrank, of doet hij niets?
Kijk zelf maar ...

wat is dit?
waar is saar?
kijk daar, een boom.
oo nee, het is een poot.
de poot van de stoel.
wat is hij groot!
en wat is saar klein!
wat is dat nou weer?
het ging weer mis!

Saar en oma zijn zo klein als muizen.
Het lijkt hier de keuken van een reuzin!
Hoe worden ze weer normaal?
Oma kan niet meer bij de pan.
Ze denkt diepe rimpels in haar voorhoofd.
En dan heeft ze een handig idee.
'Saar, klim jij langs het snoer omhoog?
Dan kom je op het aanrecht.
Drink de drank die je in de bak had gedaan.
Dan word je weer een normaal meisje.
En dan geef je mij ook een slok.'

daar gaat saar.
wat is het ver.
en wat is het hoog.
saar klimt in het snoer.
ze hijst en hijst.
dan is ze er.

oef, wat een klim.
heel gauw een slok.
oo nee!
ze is weer een aap ...
hoe kan dat nou?

24

Saar springt op de keukenvloer.
Ze pakt oma voorzichtig op.
Saar tilt haar naar de bak met het drankje.
Oma neemt een flinke slok en …
Oma groeit supersnel.
Au!
Saar kan haar niet meer houden.
Oma valt op de vloer.
Het doet flink zeer.
Wel prettig dat ze niet meer zo klein is.
Maar wat nu?
Saar moet weer Saar worden.
En oma wil weer oma zijn.

wat gaan we doen?

 Weet je wat het was, Saar?
Het drankje werkte wel.
Maar de spreuk is niet goed.

 **nee, hij maakt me klein.
en jou ook.**

 Juist, dus de spreuk moet anders.
Snap je wat ik bedoel?

 **ik snap het.
doe jij het?
of moet ik het doen?**

 Nee, ik ben geen heks, dat weet je.
Als ik het doe, gebeurt er niets.

 **ik ben er ook geen.
was mam maar hier.**

Je bent al een beetje een echte heks.
Je toverspreuk werkte daarnet wel.

 maar niet hoe ik wil.

 Ik heb een handig idee.
Doe me een plezier ...
Zeg de toverspreuk van achter naar voren.

 het is klaar.
stop maar.
wees stil.
geef een gil.
laat een boer.
roer en roer.
kook een uur.
stook het vuur.
pak de pan.

wat vies!

poef doet de pan.
poef!
er is rook.
Saar en oma nemen een flinke slok.
En kijk, wat gebeurt er nu?

saar is weer saar.
fijn is dat, hoor.
saar wil niet meer.
het gaat te vaak mis.

28

Oma haalt de pan van het vuur.
En terwijl ze hem wegzet, ziet ze iets …
Er hangt iets vreemds onder haar rok uit.
Ze kijkt er verbaasd naar.
Ziet ze dat echt goed?
Het is … een apenstaart!
Dan ziet ze dat Saar ook een staart heeft.
Saar en oma zijn toch niet klaar.
Ze zijn nog niet helemaal gewoon!
Ze zijn nog steeds een beetje aap.

saar wil niet meer.
ze wil haar pop.
ze zegt: 'ik stop.
pak je bol wol maar.
brei maar een das voor mijn pop.
of brei er een voor mij.'

maar dat gaat niet.
ze zijn nog niet klaar.

'Ik brei niet met een staart,' zegt oma.
'Het was geen goed idee, Saar.
Wij maken nooit meer samen drankjes.
Je moet daar een echte heks voor zijn.'
Maar die apenstaart moet eraf.
Dus daar gaan ze toch maar weer ...
Oma hakt een bosje planten fijn.
Die planten gaan in de pan.
Oma giet er een flinke scheut water bij.
De pan gaat weer op het fornuis.
Saar roert goed.
Na een poosje koken is de toverdrank klaar.

poef doet de pan
poef!
saar kijkt in de pan.
het ziet er vies uit.
moet dit het wel zijn?
maakt het geen muis van haar?
of een mus of een kat?
saar wil geen hap.
dan ziet ze haar pop.
ze heeft een plan.
weet je wat?
saar geeft haar pop een hap.

'Ho, Saar, doe dat niet!' roept oma.
'Wie weet wat er met je lieve pop gebeurt!'
Maar Saar is eigenwijs.
Ze doet het toch.
Ze giet wat toverdrank over haar pop heen.
Het gaat meteen weer van *poef!*
Veel rookwolken en veel stank.
O help, wat is dat nu weer?
De pop is nog steeds gewoon een pop.
Maar oma is opeens óók een wollen pop.
En Saar is óók een pop!

wat is dit?
zij zijn een pop.
saar wil staan.
maar dat gaat dus niet.
ze is te slap.
saar wil een slok.
dat gaat ook niet.
een pop kan dat niet.
wat een ramp.
het ging weer mis.

Daar zijn ze mooi klaar mee.
Hoe moet het nu verder met oma en Saar?
Zijn ze voor altijd wollen poppen?
Malle Saar met haar plannen voor toverdrank.
Wie maakt oma en Saar weer normaal?
Oma wil een pan pakken.
Maar dat lukt niet.
Haar armen en benen zijn te slap.
En haar lijf ook.
Ze begint angstig te gillen.
'Help!'
Maar ze heeft geen stem meer.
Poppen praten niet.

wie is wie?

kijk, wie is daar?
het is mam.
mam ziet een pop.
en nog een pop.
ze kijkt in de pan.
ze ruikt er aan.
mam is boos.
dat ziet saar.
'oo, wat dom,' zegt mam.
'van mij mag dit niet.
snap je het nou?
het gaat te vaak mis!'

Saars moeder schudt haar hoofd.
Ze bekijkt de planten op het aanrecht.
'Apenkool voor een apendrank,' zegt ze.
'En dit herken ik ook.
Dit is kleinkruid.
Deze wortel hier is zeldzaam.
Dit is de slapjanus.
Ik begrijp al wat jullie hebben gedaan.
Jullie hebben maar wat aan geknoeid.'
Ze propt een pan vol planten.
Dan schenkt ze er water bij.
Ze zet de pan op het vuur.
Nu wachten tot de toverdrank klaar is ...

37

mam zegt:
'wie lost het weer op?
ik moet dat weer doen.
dit mag niet meer, saar.'

saar zegt: 'ik kook niet meer.'
dat is een fijn plan van haar.
'hier, neem een hap,' zegt mam.
saar doet het braaf.
het is erg vies.

Oma zit propvol met toverdrank.
Er kan nog maar één hapje bij.
Ze wil dat laatste hapje dolgraag.
Ze wil weer gewoon een echte oma zijn.
En ze kookt nooit meer met Saar.
Echt, nooit meer.
Ze kookt niet eens meer een eitje.
Ze neemt een hap van het drankje.
En ja hoor …

POEF!

'die pan moet leeg,' zegt mam.
ze giet hem leeg.
'saar, was jij hem af?'
saar doet het braaf.
ze kan dat best.
wat gek!
de pan is niet meer zwaar.
hoe kan dat nou?

Oma is blij dat ze weer oma is.
Saars moeder heeft hen gered.
Alles is weer goed.
Alles is weer gewoon.
Geen aap, niet meer klein en geen pop meer.
Nu gaat oma iets leuks doen.
Eens even denken, waar heeft ze zin in?
Oma kijkt de keuken rond.
Ha, daar ligt een mooie wollen pop.
Met die pop kan ze lekker spelen.
En weet je wat Saar doet?
Zij pakt het breiwerk.
Ze gaat verder met de wollen trui.

Ik ben de oma van Saar.
Ik heb een wollen pop.
Die heb ik ooit zelf gemaakt van wol.
Wat knap dat ik dat vroeger kon.
Nu kan ik dat niet meer.
Dus speel ik maar met de pop.
Dat vind ik opeens ook leuk.

Alles is weer gewoon.
Saar breit verder aan een trui.
Ik speel met mijn lieve pop.
Bedankt, mama van Saar!

In deze serie zijn verschenen:

weg met die luis!
Danièlle Schothorst

de kok is in de war
Anneke Scholtens en Pauline Oud

nel gaat naar oom tim
Riet Wille en Tineke Meirink

poef doet de pan
Bies van Ede en Ineke Goes

poes is boos

Anton van der Kolk en Els van Egeraat

laat me er in!

Mireille Geus en Jeska Verstegen

Pret in het bos

Jan Paul Schutten en Mariëlla van de Beek

Pas op voor de blauwbil!

Monique van der Zanden en Heleen Brulot

1e druk 2012

NUR 287
ISBN 978.90.487.1183.3

© Uitgeverij Zwijsen B.V., Tilburg, 2012
Tekst: Bies van Ede
Illustraties: Ineke Goes
Vormgeving: Rob Galema

Voor België:
Uitgeverij Zwijsen.be, Antwerpen
D/2012/1919/187